大坝建成了

〔日〕加古里子/著　　王 伦/译

北京科学技术出版社

小旺是一个健康活泼的印度尼西亚
男孩。傍晚时分，在能源部工作的爸爸
回来了，弟弟和妹妹欢呼着跑向爸爸。

加拿利海枣

斑姬地鸠

番木瓜树

西红柿

榴莲

番木瓜

香蕉

杨桃

鸡

2

爸爸说他要去芝塔龙河地区工作。

小旺有点儿舍不得爸爸。据说，芝塔龙
河附近到处都是深深的山谷。

菠萝蜜

三角梅

火鸡

鸭子

3

丽松鼠

白眉长臂猿

双角犀鸟

食蟹猴

长臂猿

豚尾猴

网蟒

飞蜥

能源部很久以前便开始派人在芝塔龙河流经的希拉塔山谷工作了。看到这些工作人员忙碌的身影，山里的动物们议论纷纷：

"好多人在那儿凿石挖洞呢！"

"他们究竟在干什么呀？"

"是来抓我们的吗？"

"不是！他们只是取一些河水，用一些稀奇古怪的东西看看这儿瞧瞧那儿。"

赤麂

爪哇野牛

针对地形及地质构造
等所做的调查研究工
作，叫作地质勘查。

能源部的工作人员正是
在调查山脉的形状、岩石的
硬度以及河流的情况。

针对水的质量所做
的调查研究工作，
叫作地质勘查水质
分析。

条纹林狸

翠鸟

勘查的目的
是绘制精确
的地形图。

山羊

蝎子

豪猪

科莫多巨蜥

翠青蛇
（别名"小青龙"）

根据之前的调查，能源部决定在这里建造一座大坝。

　　大坝拦截芝塔龙河的河水，河水推动水轮机旋转，水轮机带动发电机发电。发电机发的电将用于机器运转和家庭照明，让人们的生活更加方便。

　　一家日本公司承担了这项工程的设计工作。

另外一家日本公司和一家印度
尼西亚公司则共同承担了根据设计
图建造大坝及隧洞的工作。

发电机、变电站和输
电设备分别由澳大利亚、
法国和德国的公司负责。

印度尼西亚国徽上的
金色的鹰

赤道

印度尼西亚

希拉塔　爪哇岛

正男是日本一所小学的学生，他的
妹妹友子还在上幼儿园。他们的爸爸即
将和他的同事们一起奔赴印度尼西亚建
造大坝。

每天，正男的爸爸和他的同事们都
会开会商讨如何开展工作。

水

拱坝

混凝土

河流的情况、周围山脉的形状以及岩石的硬度不同，建造大坝的方法就不同。

面板堆石坝（表面防渗型）

混凝土防渗面板

水

石料

趾板

坚硬的岩石（基岩）

水

混凝土

重力坝

芝塔龙河地区适合采用堆石筑坝的方法建造堆石坝来拦截河水。

9

很快，正男的爸爸和他的同事们就陆陆续续离开日本，前往印度尼西亚的希拉塔山谷。

用来建造大坝的先进机械和大型车辆等工具也从世界各地运到了印度尼西亚的港口。

印度尼西亚鹰航空公司的飞机

抵达港口的机械设备、车辆和
行李等必须迅速转运到建造大坝的
山坳里，否则工程就会延误。

履带式
装载机

压路机

挂车

大型卡车

挂车

三轮自行车

穿过城镇来到修建大坝的地方，这里的崇
山峻岭上正在开山凿石——

履带式
推土机

——一条可供大型车辆
通过的道路正在修建之中。

履带式推土机

工人们的宿舍建在希拉塔山谷附近的山里，他们在这里要一直住到工程结束。大家幽默地称自己在"野营"。

后来，从爪哇东部和北部地区也陆陆续续来了很多工人参与大坝的建造。

澳大利亚的工程师和德国的电工也来到了这里。

清真寺（穆斯林做礼拜的地方）

"Good morning!" *
"Selamat pagi!" **

小旺的爸爸和正男的爸爸都在希拉塔山谷工作，每天早上他们会大声地互相问候。

从工人们住的地方俯瞰山谷，能够看到
河流从左向右蜿蜒奔流，然后拐了一个弯。

高压线

变电站

发电站

水闸

最高水位线

大坝建成后，水就蓄积到这个位置。

进水口（取水口）

芝塔龙河

曙凤蝶

叶子虫

螳螂

16

大坝将建在河流拐弯的地方。
被拦截的河水会蓄积到白色虚线
所在的位置，形成一个大湖。

河水通过进水口后，来到
发电站推动机器发电。

泄洪隧洞
调节大坝内的蓄水量，
下雨时开闸放水。

出水口

大坝

导流隧洞
在修建大坝的过程中，
河水经导流隧洞流走。

围堰
临时修建的拦截河流的堤
坝，在施工过程中可防止
河水进入工地。

因此，要建造大坝，就要先挖掘
隧洞（导流隧洞），改变河流路线。

竹节虫

17

山谷中没有水了。工人们用岩石粉碎机粉碎山谷中的岩石，用凿岩机打洞，用火药炸掉碍事的岩石。

液压挖掘机

履带式推土机

大型液压挖掘机

履带式装载机

各种机械震耳欲聋的轰鸣声在山谷里回荡。

大型自卸汽车（45吨）

竹节虫

蜻蜓

挖掘机尖锐的钢爪在
河床上挖掘着，大型自卸
汽车将堆积的泥沙运走。

挂车式自卸汽车

易碎的岩石也被清走，直到
露出坚硬、结实的岩石。
自卸汽车跑了一趟又一趟，
尘土四处飞扬。

可以精确测量距
离、方向及高度
的经纬仪

最后，像用抹布擦东西一样，用大型机械把残余的泥沙一扫而光，河底坚硬的岩石就完全露出来了。

为了避免蓄积的河水渗漏，正男的爸爸和他的同事们用混凝土在岩石上建造了"趾板"，用来连接混凝土防渗面板和基岩。

防浪墙（护墙）

校核洪水位（123米）

（米）

最高水位（120米）

100

最低水位（105米）

50

围堰

混凝土防渗面板

大坝

大坝建成后用石料将趾板埋起来。

堆放石料。

0

趾板
为避免河水渗漏，将它建在大坝拦截河水的一侧（从河底一直建到两侧的大山脚下）。

将石子密密实实地堆放在一起，当作混凝土墙的缓冲垫层。

坚硬的岩石（基岩）

将水、水泥、砂石料和其他材料混合在一起制造混凝土的机械设备

将山上的岩石破碎成小颗粒，制造砂石料（沙子和石子）的机械设备

将铁棒（固定物）埋入地下并用混凝土加固，建造防止河水渗漏的趾板。趾板包住大坝的边缘，从河底一直延伸到两侧的大山脚下。

混凝土搅拌机

　　建好与坚硬的岩石连为一体的趾板后，工人们便按照设计图在上面堆放石料。

　　这些石料是附近的山石初步破碎而成的，大小不一，被翻山越岭运到这里。

大型自卸汽车（45吨）

21

它们从大型自卸汽车上卸下来以后，被推土机推平，然后被浇上水，最后被振动碾来来回回地碾压平实。

履带式推土机

大型液压挖掘机

自动平路机

自行式振动碾

就这样，这些大小不一的石料随着振动碾的振动被密实地压集在一起。

一辆接一辆的自卸汽车不停地运来石料。日子一天天过去，石料堆得越来越高，被碾压得结结实实的。

履带式起重机

洒水车

自行式振动碾

振动碾

履带式推土机（牵引用）

振动碾将地面压平，为浇筑混凝土做准备。

正午，太阳火辣辣地照射着大地。工人们大汗淋漓，但仍然热火朝天地工作着。

振动碾

23

巽他领角鸮

蜂猴

南洋大兜虫

大壁虎

即使到了晚上也不停止施工，因为必须在规定的日期建成大坝，让附近的人们早日用上电。因此，长胡子叔叔那一组工人下班后，喜欢弹吉他的叔叔和他的伙伴们就开始工作了。

尖鼠

日本田鼠

刺猬

血蟒

野绵羊

赤麂

黄冠鹎

树鹛

猞猁

黄鼠狼

夜里，无论是动物们出来觅食的时候，还是它们抱着自己的孩子睡觉的时候，工人们都在忙碌。

他们不停地搬运、堆放石料……辛勤地工作着。

穿山甲

野猪

大型自卸汽车

几个月过去了，几年过去了，工程还在继续。

现在，炎热少雨的季节已经过去，硕果累累的丰收季节到来了。每到午后，天空就会下起大雨。不一会儿，道路上就积水成河。

突然，悬崖发生坍塌，卡车的轮胎开始打滑。

"危险！"

司机来不及调整方向，卡车一头撞了过去。车的前部损坏严重，车上装载的石料倾洒出来。

爪哇飞蛙

蜗牛

挂车式自卸汽车

工人们经常面临这样的危险，需要不断地克服各种各样的困难。

终于，石料整整齐齐地堆到了设计图规定的高度。于是，山谷中出现了一座坚固的三角形"山"。

塔式起重机

这座用石料堆成的三角形"山"便是用来拦截水流的大坝。

混凝土搅拌机

28

在这座状如三角形"山"的大坝拦截水流的那一面，要建造混凝土防渗面板，以防止河水渗入堆积的石料之间的缝隙。

① 在大坝表面铺上石子并压平。

② 在接缝处安装止水板。

③ 安装模子和滑升模板用的轨道。

④ 组装钢架。

⑤ 安装滑升模板。

⑥ 用混凝土搅拌机不断地将混凝土注入滑升模板，从下往上建造厚厚的混凝土防渗面板。

⑦ 让混凝土凝固。

履带式起重机

混凝土搅拌机

翻斗车

钢筋台车

滑升模板（移动式）

液压挖掘机（轮胎式）　　振动碾

当混凝土防渗面板建成，大坝的样子已经初步呈现的时候，建在大坝不远处的进水口和水闸也相继完工了。

其实，并非只有这个一眼就可以看到的露天工地上有人在工作。

在大坝左侧的大山深处，也有人正在为一项重要的工程日夜奋战。

大坝控制中心
（大坝管理办公室）

这里是管理大坝，确保一切正常运转的地方。在这里，工作人员可以与发电站保持联系，根据所需的发电量调整大坝的水位及流量。

施工中

泄洪隧洞

导流隧洞

水闸

取水口

这是一项巨大的工程，任务是在山中挖洞建造地下厂房。这里说的"挖洞"并不是在大山里随随便便挖个洞，因为有的山岩沉重无比，极易塌落。

图中的长线代表锚杆（20米），短线代表岩栓（7米）。锚杆可以牵引100吨的重量，岩栓可以牵引10吨的重量，从而维持岩层的稳定。锚杆一般由一束钢丝制成，为了防止生锈，表面会被包上，直径在10厘米以上，可以深入基岩20米，将其牢牢固定。

因此，在施工过程中要一边确保重力的平衡，一边一点儿一点儿地开凿岩石，最终挖好一个横截面为蛋形的洞。

同时，还要在周围的岩石上密密麻麻地插入很粗的钢丝（锚杆）和铁棒（岩栓）——隧洞看起来就像刺猬一样。这样一来，岩石就被牢牢地固定而不会塌落了。

喷浆机器人
空气入口
排气口
① ②
挖出的土和岩石掉落的通道
③
④
履带式潜孔钻机
双臂凿岩台车
⑤
⑥
履带式装载机
⑦
⑧
液压挖掘机
⑨
履带式装载机　自卸汽车
⑩

隧洞的大小：高49.46米（最高处）
　　　　　　宽35米（最宽处）
● 这种施工方法叫作新奥法(NATM，New Austrian Tunneling Method)。

▲挖掘到①时的样子，即岩洞最初的样子。喷浆机器人往洞顶喷涂混凝土。工人不断探测岩石的情况，选择锚杆和岩栓插入的位置。洞顶突出的部分便是插入的锚杆和岩栓留在外面的部分。

喷浆机器人

▲挖掘到③时的样子。利用履带式潜孔钻机和双臂凿岩台车钻出孔洞，然后插入锚杆和岩栓。

双臂凿岩台车

▲挖掘到⑤时的样子。液压挖掘机正在挖掘。

巨大的隧洞终于挖好了，里面可以同时举行15场网球比赛。

▼地下厂房

49.46米

网球场
11米×24米

篮球场
15米×28米

自由女神像（美国） 高46米

国会议事堂（日本） 长206.36米 高65.46米

波音747飞机（美国） 长70.5米

▼发电机

253米

将这个隧洞与建筑物和飞机进行对比之后，大家明白它有多大了吧?

在这个巨大的空间内还要建造一个台子，
用来安放沉重的发电机。台子要正好能放下发
电机。

要想保证发电机正常运转，安装时就
不能出现一丝一毫的误差。

转子

36

桥式起重机

发电机

看到安装发电机的情景，电工拉纳微笑着称赞道："Gut！Sehr gut！"*

水轮机蜗壳

定子

*德语：太棒了！真是太棒了！

进水闸　用来控制进水量的可以开关的大门　　　输水管　输水用的结实的管道

进水口
为避免泥沙及垃圾进入引水
洞，这里安装了细密的铁网做
拦污栅。

桥式起重机

发电机
用许多电磁铁制作而成的
转子一转动，定子上缠绕
的铜丝就有了电。

压力管道

转子

定子

主阀
用于阻截水流。

发电机是利用大坝
上、下游的水位差产生
的水的势能来发电的。

导叶

水轮机蜗壳

转轮

尾水管

调压室

高 79米
厚 18.6米

当发电机发生故障时，水流突然中断会产生巨大的力量，从而损坏水轮机和相关管道。这时调压室就相当于一个临时导流通道，可以调节水流量，减小水流给发电设备造成的压力。

最大有效落差
112.5米

用钢铁制成的可以耐高压的压力管道有固定的长度和转弯半径，其作用是输送水流。

发电站　变电站

出水口

尾水渠

水轮机
水通过压力管道进入水轮机蜗壳，流经导叶时带动转轮旋转，转轮则带动发电机的转子旋转。

发电机一台接一台地安装好了。

　看到安装完毕的发电机排列整齐的样子，拉库那先生微笑着点头说道："**Ganz und gar！**" *

*德语：太完美了！

输电塔

发电站外面建造了很多输电设备。

要将发电机生产的电能输送到远方的城镇和工厂，就必须使电压升高。这就要用到变电站。

大蝙蝠

配电装置
进行电力传输和再分配的电气设施

这里便是将发电机生产的电能升压（电压升高，变成高压电）后再传输出去的地方。电压越高，电能在传输过程中的损失就越少。在被送到居民家中或者工厂之前，这些高压电已经在城镇附近的第一变电站和第二变电站分别进行了降压处理。

变电站

夜蛾

40

夜鹰

高压线

菊头蝙蝠

从变电站输出的高压电通过
结实的电线传输出去。
　　一座座高高的铁塔沿着山脉
竖了起来，每座铁塔上面都架着
几根电线。

鼯猴

野鸭

41

大坝竣工、希拉塔水电站的发电设备安装完毕后，导流隧洞的闸门关闭，大坝开始蓄水。

白鹭

小苇鳽

非洲秃鹳

燕子

水獭

黑水鸡

水牛

大坝

泄洪隧洞

水闸

取水口

漂浮船
供人乘坐去堵住大坝底部的导流底孔以及修理水闸和取水口的船

金丝燕

水位渐渐升高，水面一点点变宽。孩子们来到河边，在这里尽情奔跑，撩水嬉戏。

长臂猿

苍鹭

眼镜猴　银色乌叶猴

赤麂

山羊

山里的动物们也来到这里喝水、嬉戏。

食蟹猴

43

前后历时五年，希拉塔工程终于
完工了。
　　人们迎来了竣工庆典。

　　共事多年的工程师们和工人们欢聚一堂。
　　印度尼西亚总统、政府官员、附近山村里的
重要人物出席了庆典。
　　山村里的长者和附近城镇上的女孩子也前来
观礼。

总统致完贺词之后，人们在大坝上放起了烟花。

一面面旗子迎风招展，彩色气球和飘带在空中袅袅起舞，人群中传出了热烈的掌声。

赤翡翠

小鸊鷉

绿翅金鸠

黄冠鹎

"谢谢！" "太好了！"

"Merci！" * "Terima kasih！" **

人们互相致谢，高兴之情发自肺腑。

来自法国的工程师和来自德国的电工笑着握起了手。

小旺的爸爸开心极了，正男的爸爸也满脸笑容。

大杜鹃

*法语：谢谢！　**印度尼西亚语：非常感谢！

水闸
取水口

丽松鼠

绿皇鸠

凤蝶

冕雀

前来参观大坝的人们和山里的动物们由衷地赞叹："好漂亮的大坝啊！""蓄了好多水啊！真了不起！""工程师们和工人们真是辛苦了！""感谢他们！"

建设者们付出全部智慧和力量建造的这座大坝，今后一定会一直受到大家的喜爱与珍视。

尼柯巴鸠

再见！
Selamat jaran！ *
Selamat tinggal！ **

泄洪隧洞口

*印度尼西亚语：保重！
**印度尼西亚语：再见！

47

●后记

———————————————————————————— 加古里子

本书再现了在印度尼西亚的希拉塔地区建造水力发电站的情景。

其实早在1959年，我就曾创作过以建造日本大坝为主题的绘本。但令人遗憾的是，由于经济及社会的变化，现在那本书已经绝版了。与美国田纳西流域管理局（TVA）一样，我认为在国家和地区经济的发展问题上，水力发电作为人类的一种核心技术和一项基本事业，是永远不会消失的。就在努力寻求与其相关的项目和创作机会时，我从读者那里得知，一项全球规模的巨大计划正以国际合作的新形式展开。于是，时隔30年我又积极地投身于这样一份工作。非常感谢相关人员深切的理解以及在我取材时给予的方便。

在本书终于成功地和读者见面的今天，我想将它献给支持我的各位朋友以及当时在现场奋斗的各国工程师和工人。希望孩子们通过本书了解那些伟大的建设者付出的伟大劳动，看到国际合作的和谐与美好以及人们的相互信赖与尊重。